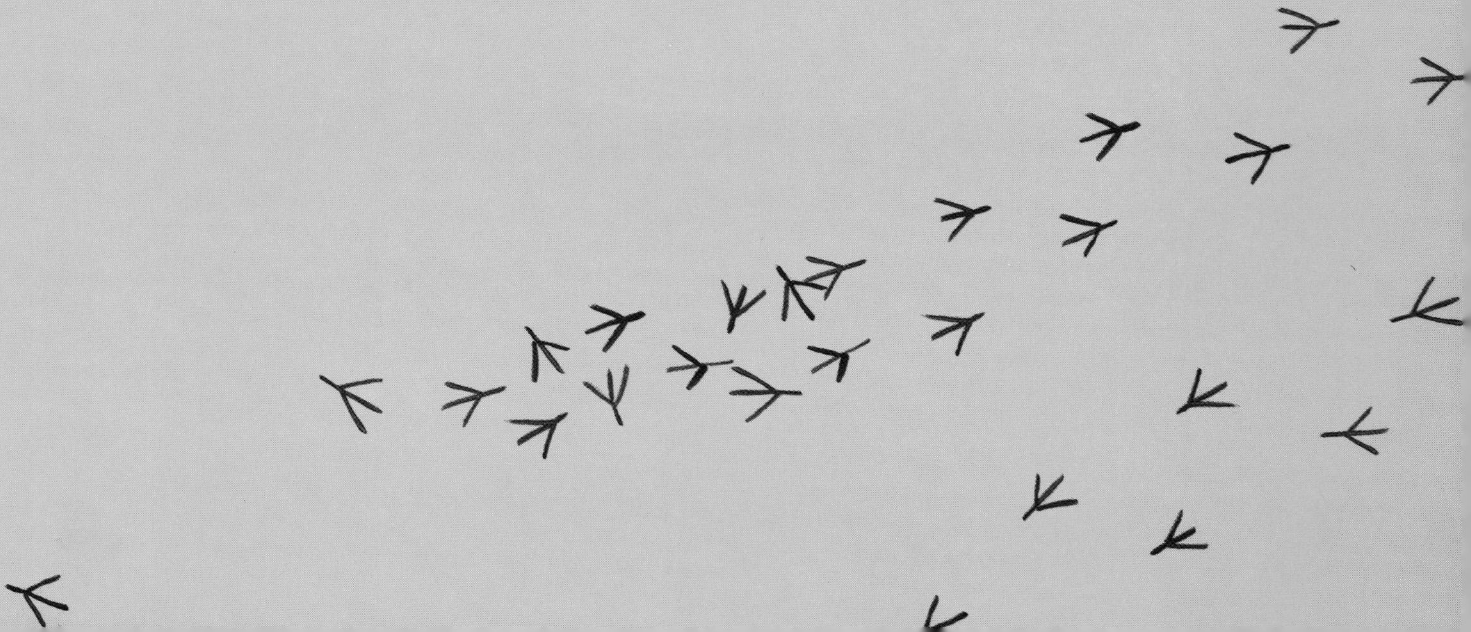

Tyrano de Bergerac

Texte de **Gilles Chouinard**
Illustrations de **Rogé**

LES ÉDITIONS DE LA
BAGNOLE

Connaissez-vous l'histoire de ce soldat sans peur
Au nez long comme un roc, comme une péninsule,
Courageux comme un lion et poète à ses heures,
Grand amoureux des mots et fort comme un hercule ?

Oui, vous avez bien vu, c'est un tyrannosaure
Aux dents blanches et pointues, couché dans ce hamac.
Des pages et des pages, c'est tout ce qu'il dévore,
On le nomme ici Tyrano de Bergerac.

Même si c'est le plus long de tous les appendices,
Son nez est un sujet dont vous ne parlez pas !
Cessez vos moqueries et vos rires complices.
On est né comme on est, avec le nez qu'on a.

Si la mère Nature ne l'a point trop gâté
En ornant son visage de pareil instrument,
En revanche, pour l'esprit, elle s'est bien rachetée.
Tyrano, sachez-le, est un être brillant.

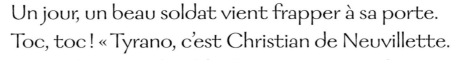

Un jour, un beau soldat vient frapper à sa porte.
Toc, toc ! « Tyrano, c'est Christian de Neuvillette.
- Que t'arrive-t-il, soldat ? Pourquoi ces galipettes ?
- J'ai le cœur chaviré. C'est l'amour qui m'emporte.

Moi qui pars à la guerre, je dois écrire des lettres
À l'élue de mon cœur, mais je ne sais comment.
Roxane voudra de moi les plus beaux compliments.
Mais je suis illettré. Eh oui, je dois l'admettre. »

Cette belle Roxane, Tyrano la connaît.
Une cousine à lui. Il a grandi près d'elle.
Lui a toujours caché qu'elle est son étincelle.
Ce qu'elle allume en lui, il le garde secret.

« Je propose de t'aider, Christian, si tu acceptes.
Je serai ta main droite. Je vais écrire pour toi.
Tes mots voyageront. C'est ma fidèle fauvette
Qui sera l'estafette porteuse de tes émois. »

Il commence à écrire, blotti dans son hamac,
Quand soudain une mouche se pose sur son NEZ.
« Tu oses te moquer ! » Il lui donne une claque.
Quelle erreur, quelle gaffe ! C'est une mouche tsé-tsé…

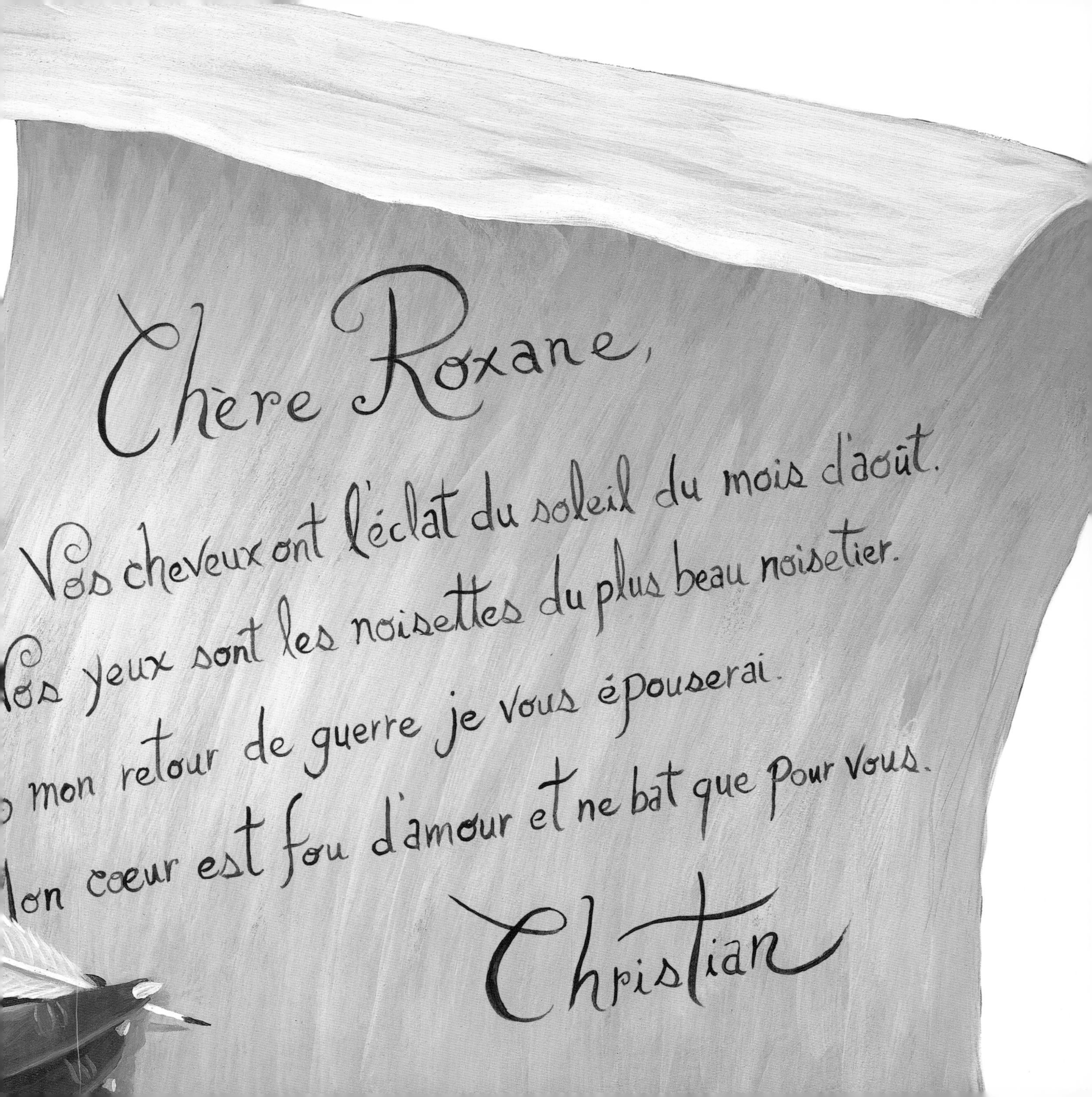

Chère Roxane,

Vos cheveux ont l'éclat du soleil du mois d'août.
Vos yeux sont les noisettes du plus beau noisetier.
À mon retour de guerre je vous épouserai.
Mon cœur est fou d'amour et ne bat que pour vous.

Christian

La mouche, dans sa colère, le pique sans crier gare.
Bergerac n'entend plus qu'un bourdonnement d'oreilles.
La vision embrouillée et le regard hagard,
Il sombre sur-le-champ dans un profond sommeil.

Dans ce sommeil confus, il fait un cauchemar.
Une Roxane affreuse et de lui entichée
Le poursuit tout partout jusqu'au fond des placards,
Lui donnant des bisous sur le bout de son nez.

Bergerac, épuisé de ces gluantes étreintes,
Enfourche sa monture et file vers le nord.
Dans une forêt lugubre, il découvre des empreintes
Qui le mènent tout droit à la grotte des Morts.

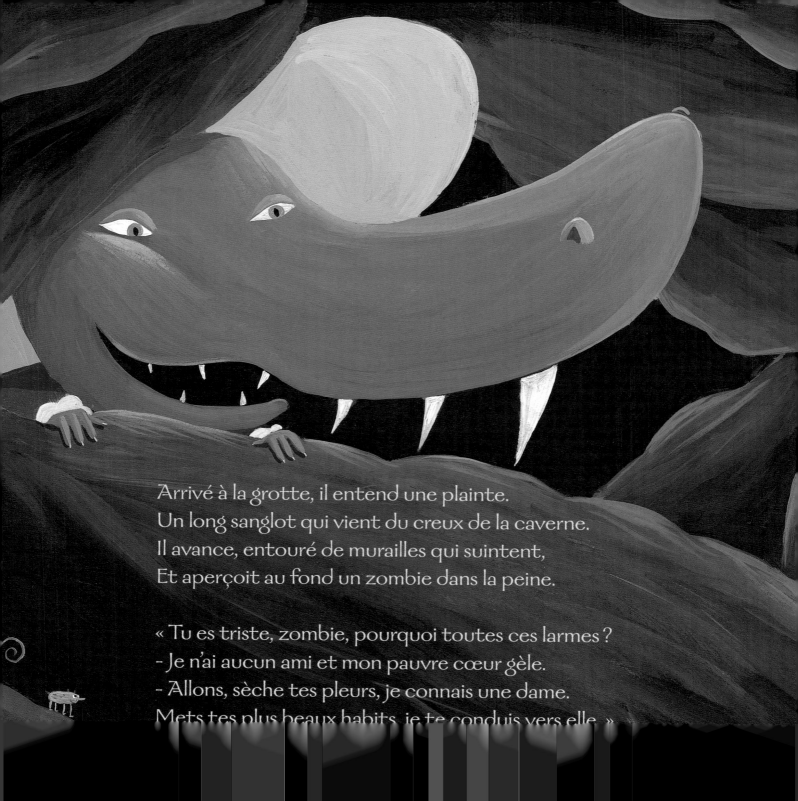

Arrivé à la grotte, il entend une plainte.
Un long sanglot qui vient du creux de la caverne.
Il avance, entouré de murailles qui suintent,
Et aperçoit au fond un zombie dans la peine.

« Tu es triste, zombie, pourquoi toutes ces larmes ?
– Je n'ai aucun ami et mon pauvre cœur gèle.
– Allons, sèche tes pleurs, je connais une dame.
Mets tes plus beaux habits, je te conduis vers elle. »

Excité, le zombie se met parfums et poudres.
Tiré à quatre épingles, il suit notre héros.
À la vue de Roxane, oh ! c'est le coup de foudre !
Il en tombe amoureux, son cœur est au galop.

Disparue la tristesse, ils s'entendent à merveille.
Roxane et le zombie se plaisent, et c'est tant mieux.
Et au bon Tyrano, ils donnent ce conseil :
« Quand tu aimes quelqu'un, fais-lui-en vite l'aveu. »

La mouche est disparue, Tyrano est guéri.
Retour à l'encrier et aux lettres d'amour.
Mais au champ de bataille, la Mort est l'ennemie.
Christian tombe au combat. Roxane a le cœur lourd.

Pour toujours ses yeux clos et sa bouche muette,
Le beau Christian n'est plus, Tyrano doit se taire.
Plus jamais son oiseau, cette jolie fauvette
N'aura de billets doux pour sa destinataire.

Christian de Neuvillette
mort au combat

Or Roxane lui avoue qu'en plus d'être si beau,
Son Christian écrivait de façon merveilleuse.
Il aurait bien pu être laid comme un crapaud,
C'est de son bel esprit qu'elle était amoureuse.

Pendant de longues années, Tyrano point n'écrit.
Mais, un jour, le conseil du zombie lui revient.
Dans une douce lettre qu'elle lit et relit,
Son amour pour Roxane il lui déclare enfin.

Pour celui que tu aimes et pour te rendre heureuse,
J'ai composé les lettres, les billets et les mots.
J'aurais tellement voulu que tu fusses amoureuse
Un petit peu de moi, MAIS ! Christian était beau...

Il avait un grand nez qui le rendait bien laid.
Il avait un grand cœur qui le rendait bien beau.
Roxane comprit enfin que celui qu'elle aimait,
Vous l'aviez deviné, c'est notre Tyrano.

GILLES CHOUINARD ET ROGÉ
AUX ÉDITIONS DE LA BAGNOLE :
Tyranono, une préhistoire d'intimidation
Le Tyrano nez rouge, une préhistoire de Noël

Catalogage avant publication de Bibliothèque et Archives nationales du Québec et Bibliothèque et Archives Canada

Chouinard, Gilles, 1957-

    Tyrano de Bergerac, une préhistoire d'amour
    Édition originale : Montréal : lg2 : 2008.
    Pour enfants de 4 ans et plus.
    ISBN 978-2-89714-080-9

    I. Rogé, 1972-   . II. Titre.

PS8605.H67T94 2013   jC843'.6   C2013-940996-3
PS9605.H67T94 2013

DISTRIBUTION EN AMÉRIQUE DU NORD
Canada et États-Unis :
Messageries ADP*
2315, rue de la Province
Longueuil (Québec) J4G 1G4
Pour les commandes : 450 640-1237
messageries-adp.com
*Filiale du Groupe Sogides inc. ;
filiale de Québecor Média inc.

DISTRIBUTION EN EUROPE
France :
INTERFORUM EDITIS
Immeuble Paryseine
3, Allée de la Seine
94854 Ivry-sur-Seine Cedex
Pour les commandes : 02.38.32.71.00
interforum.fr

Belgique :
INTERFORUM BENELUX SA
Fond Jean-Pâques, 6
1348 Louvain-La-Neuve
Pour les commandes : 010.420.310
interforum.be

Suisse :
INTERFORUM SUISSE
Route A.-Piller, 33 A
CP 1574
1701 Fribourg
Pour les commandes : 026.467.54.66
interforumsuisse.ch

GROUPE VILLE-MARIE LITTÉRATURE
VICE-PRÉSIDENT À L'ÉDITION
Martin Balthazar

ÉDITIONS DE LA BAGNOLE
ÉDITRICE ET DIRECTRICE LITTÉRAIRE
Jennifer Tremblay

INFOGRAPHIE
Anne Sol

LES ÉDITIONS DE LA BAGNOLE
Groupe Ville-Marie Littérature inc.
Une société de Québecor Média
1010, rue De La Gauchetière Est
Montréal (Québec) H2L 2N5
Tél. : 514 523-1182
Téléc. : 514 282-7530
info@leseditionsdelabagnole.com
leseditionsdelabagnole.com

Nous reconnaissons l'aide financière du gouvernement du Canada par l'entremise du Fonds du livre du Canada (FLC) pour nos activités d'édition.

Nous remercions le Conseil des arts du Canada de l'aide accordée à notre programme de publication.

Les Éditions de la Bagnole bénéficient du soutien de la Société de développement des entreprises culturelles du Québec (SODEC) pour leur programme d'édition.

Gouvernement du Québec – Programme de crédit d'impôt pour l'édition de livres – Gestion SODEC

Merci à Michel Therrien pour sa précieuse collaboration

Imprimé en Chine